エダマメ さいばいカレンダー

4月のおわりごろから5月いっぱいまでに、なえをうえると、6月のおわりごろには、ふくらんだエダマメのさやをしゅうかくできるよ。

	4月	5月	6月	7月
さぎょう	←……なえうえ……→ つぼみができる / 花がさく		さやがふくらむ / ←ネットをかける→	
日当たり	☀☀☀	☀☀☀	☀☀☀	☀☀☀
水やり	💧💧	💧💧💧	💧💧💧	💧💧💧

※日当たり、水やり、肥料は、月ごとの目安。やりすぎにちゅうい。
※ここではすぐにしゅうかくできるしゅるいのエダマメをしょうかいしているよ。8月の中ごろになえをうえて、9月にしゅうかくをするものもあるんだ。

学校でそだててかんさつ 夏やさい

エダマメをつくろう！

監修 筑波大学附属小学校教諭 **青山由紀／鷲見辰美**

あかね書房

はじめに

　夏になると、ゆでたエダマメを食べる人も多いでしょう。じつは、エダマメは、まだ成長しているとちゅうのもの。土にうめても、めを出すことはありません。知っていましたか？　では、さらに成長したらどんなすがたになるかな。食べられるのかな。それを知るには、そだててみるのがいちばんです。

　この本では、エダマメをそだてる時に気をつけることやアドバイスを写真や絵をつかってわかりやすくまとめました。これをさんこうに、ぜひエダマメを育ててみてください。前よりももっとエダマメのことがすきになりますよ。

筑波大学附属小学校教諭　青山由紀・鷲見辰美

この本の見方

この本では、エダマメをじょうずにそだてて、かんさつをするためのやり方を、しょうかいしているよ。

**なえをうえてから
たった日数**
エダマメのしゅるいや、そだてる地いきによって、成長の早さはちがうから、目安にしてね。

エダマメの写真
エダマメが成長して、ようすがかわったところを、大きな写真でしょうかいしているよ。

エダマメの高さ
エダマメが、どのくらいの高さまでのびているかわかるよ。きせつや、エダマメのしゅるいによって、高さはかわるから、目安にしよう。

かんさつポイント
どんなことにちゅうもくして、かんさつをすればいいかがわかるよ。

ちゅうい
このマークがあるところでは、エダマメをそだてる時に気をつけたいことをしょうかいしているよ。

**もっと知りたい・
やってみよう**
エダマメについて、知っておきたいことや、ためしてみたいことをしょうかいしているよ。

かんさつカードのかき方を知りたい時や、虫がついたり、病気になったりしてこまった時は、32〜38ページのさいばい・かんさつ　おたすけ資料を見てみよう。

もくじ

エダマメって、こんなやさい!!……4
さいばいをはじめる前のじゅんび……6
さいばいしよう① なえをうえよう……8
さいばいしよう② 支柱を立てよう……12
さいばいしよう③ つぼみができた!……14
　🔍さらにかんさつ! エダマメの花の中を見てみよう!……15
さいばいしよう④ 小さなさやが出てきたよ……16
　📢もっと知りたい エダマメのはたけを見てみよう……17
さいばいしよう⑤ さやがふくらんできた……18
さいばいしよう⑥ さやがふくらんだ、しゅうかくしよう……20
　📢もっと知りたい えだについているから、エダマメ?……21
くわしくかんさつ! さやの中はどうなっているのかな……22
　📢もっと知りたい エダマメのいろいろなすがた……23
さいばいしよう⑦ エダマメがかれると……24
　やってみよう ダイズからエダマメのなえをそだててみよう……25

エダマメさいばいほうこく会をしよう……26

エダマメのまめちしき……30

さいばい・かんさつ　おたすけ資料
　かんさつカードのかき方をマスターしよう……32
　エダマメさいばいトラブル 虫や鳥に食べられた!……34
　エダマメさいばいトラブル 病気になった・うまくそだたない……36
　エダマメさいばい Q&A……38

さくいん……39

エダマメって、こんなやさい!!

ゆでてしおをふったエダマメはとてもおいしいね。お店では、えだにたくさんさやがついたものと、さやだけのものが売られているね。ゆでた豆を冷凍したものもある。1年中食べられるけれど、エダマメは夏に豆ができる夏やさいだ。

たいようの光をたっぷりあびて、豆がたくさんなるよ！

エダマメには、いろいろなしゅるいがある。豆をつつむさやにはえたうぶげが白いものや茶色いもの。豆が大きくふっくらとしたもの。豆が黒いものもあるよ。

花の色は、白とむらさきがある。どんな色の花がさくか、かんさつしてみるといいね。

豆がみどり色でうぶげが白いエダマメ

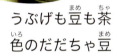

うぶげも豆も茶色のだだちゃ豆

豆が黒い黒エダマメ

「黒いエダマメ、食べてみたいなあ。」

エダマメは、くきが60cmくらいまでのびる。プランターでそだてる時は、支柱を立てて、たおれないようにするといいんだ。

この本では、大きなプランターに2つのなえをうえて、そだててみるよ。

「さっそく、なえをうえてみよう!」

支柱

さいばいをはじめる前の じゅんび

どんなものをつかうのかな。たしかめておこう。

よういするもの

プランター
土が25リットルくらい入る、大きなプランター。

エダマメのなえ
たねからめが出て、少しそだったもの。

土

ばいよう土
肥料が入った土。えいようたっぷりだよ。

ふよう土
かれたはっぱからできた土。

ペットボトルじょうろ

水やりにつかうよ。

スコップ
土をすくってプランターに入れるよ。

支柱
エダマメのくきをささえるよ。90cmくらいのものをつかおう。

はりがね
支柱とくきをむすぶよ。

肥料

エダマメは肥料をあとでやらなくても、よくそだつよ。

※くわしくは38ページを見てみよう。

さいばいしよう ①

1日目 なえをうえよう

まずは、エダマメのなえを見てみよう。はっぱの形やくきの手ざわりなどを、じっくりかんさつしてみよう。

さわってみよう
くきの太さを見よう。さわるとどんな手ざわりかな。

見てみよう
はっぱのひょうめんはどうなっているかな。

見てみよう
はっぱの形は、どれも同じかな。たしかめてみよう。

はっぱ

くき

なえをぎゅっとにぎったり、もったまま長い間すごしたりすると、しおれてしまうよ。気をつけてね。

かんさつカードをかこう

かんさつしたことは、すぐにカードにかきこむようにしよう。かき方のヒントは32ページにもあるよ。

「エダマメのなえにあつまってくる生きものも、かんさつしてみてね。」

ハチ　アブラムシ　鳥

かんさつカード

- 自分の名前
- そだてているものの名前
- タイトル
  エダマメのなえはどんなようすだったかな。一言であらわそう。
- かんさつイラスト
  かんさつしたところを絵でかくよ。とくにじっくりと見たところを、大きく細かくかいてみよう。
- かんさつ文
  かんさつしたことを文しょうでかくよ。まずはかきたいことをメモしてから、文しょうを考えるといいよ。

かけたかんさつカードのはしをつなげると、エダマメがどうやって成長したか一目でわかるよ。

なえうえの手順

1 プランターに土を少し入れる

スコップでプランターに土を入れよう。ばいよう土を3ばい、ふよう土を2はいの配分で入れよう。

土のりょうの目安

プランターの中になえのポットをおいてみて、プランターのふちから、なえのポットの土までが、5cmほど空いているか、たしかめよう。

2 なえをポットからとりだす

ポットを右手にもってかたむける。左手はなえのねもとにそえるよ。ポットのそこを少しおしたら、なえが出てくるよ。

右手でポットのそこを少しおそう。

とれた！

ちゅうい

くきを引っぱらないようにしよう。一人ではむずかしい時は、二人でやってみよう。

白いねが見えるね！土ごとうえるんだって！

3 もっと土を入れる

なえをおいたら、ねが見えなくなるまで、わきにも土を入れよう。大きなプランターになえを2つうえる時は、間を20cmくらいあけよう。

4 水をやる

土をかぶせたら、水をあげよう。プランターの下から水が出てくるまであげるよ。まい日朝10時くらいまでにやり、土がかわいていたら、夕方にも水をやろう。

はっぱではなく、土にかけてね。

できあがり！

うえたばかりのなえは、しおれているように見えるけれど、しっかり水やりをして日に当てれば、元気になるんだ。

さいばいしよう ②

1週目 支柱を立てよう

せが高くなって、はっぱがふえた。なえがたおれないように、ねもとに土をよせて、支柱を立てるよ。

高さ20cmくらい

さわってみよう
くきはとても細いね。手ざわりはどうかな。

土よせのしかたと支柱の立て方

1 ねもとに土をよせる

くきをつつむようにして、りょう手で土をよせよう。さやができるまでの間は、ねが土から出ていたら、土よせをするよ。

2 支柱をさしこむ

支柱はエダマメのとなりにぐいっとさしこむよ。プランターのそこにつくまで、しっかりと土にさしこもう。

3 支柱とくきをむすぶ

エダマメのくきと支柱をむすぶよ。はりがねで8の字をつくり、ゆるくとめるんだ。せが高くなったら、とめるところをふやそう。

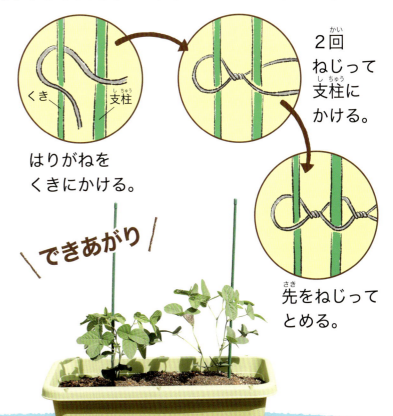

はりがねをくきにかける。

2回ねじって支柱にかける。

先をねじってとめる。

\できあがり/

さいばいしよう ③

3週目 つぼみができた！

くきのつけねから、小さなつぼみが顔を出したよ。
どんな形の花がさくのかな。

見てみよう
がくが少し
ひらいているね。
花びらは
見えるかな。

― がく

見てみよう
つぼみの色は
どんな色だった
かな？

高さ
30cmくらい

見てみよう
上の花とくらべて、
がくが開いてきて
いるね。花びらは
どんなようすかな。

エダマメの花

エダマメの花は、とても小さくて、さく時間もみじかいよ。見のがさないように、まい日かんさつしよう。

白い花

むらさき色の花

むらさき色の花がさくしゅるいも、あるんだって。

さらにかんさつ！ エダマメの花の中を見てみよう！

小さな花をぶんかいして、中を見てみよう。

花びら

5まいあって、かさなっているよ。④と⑤の花びらの間には、エダマメをつくるところが入っているんだ。

おしべ
花ふんがついているよ。

めしべ
花ふんは、花がさく時にめしべにつくよ。花ふんがつくと、さやができて、豆がなるんだ。

エダマメになるところ

がく
花を守るよ。

虫や風に花ふんをはこんでもらうしょくぶつもあるんだって！

トマトとか！

さいばいしよう ④

4週目　小さなさやが出てきたよ

花がさいたあとに、さやができたよ。エダマメが大すきな虫や鳥に食べられないようにちゅういしよう。

さわってみよう
小さなさやがあるね。手ざわりはどうかな。大きさもはかってみよう。

見てみよう
花びらがのこっているね。どんなようすかな。

高さ30〜35cmくらい

ネットのかけ方

虫や鳥がたくさんあつまってくるばあいは、ネットをかけよう。

● よういするもの
支柱4本、ネット（目が1mmくらいのもの）、ひも（2m）

1 支柱を立てる

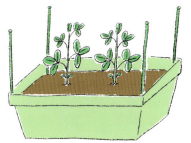

4すみにさしこむ。

2 ネットをかける

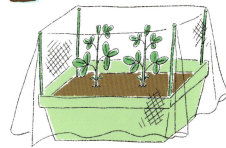

上からネットをかぶせる。

3 ネットのふちをとめる

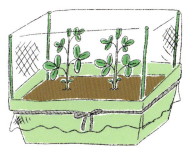

ひもなどで、ぐるりと1しゅうむすび、ネットをとめる。

ネットの上から水やりできるよ。

入れない……

もっと知りたい エダマメのはたけを見てみよう

農家の人はどうやって鳥や虫に食べられないようにしているのか、はたけを見せてもらったよ。支柱をまげて立てて、ネットをはり、トンネルのようにしているよ。おいしいエダマメをつくるには、いろいろなくろうがあるんだ。

エダマメのはたけのようす。

さいばいしよう 5

5週目 さやがふくらんできた

さやがみるみるふくらんで、中に豆が入っているのが
わかるようになったね。

見てみよう
さやのようすは、出てきたばかりのころとくらべて、どうかわったかな。

見てみよう
さやに入っている豆の数は、どれも同じかな。

高さ
35～40cm
くらい

さいばいしよう ⑥

6週目 さやがふくらんだ、しゅうかくしよう

さやがパンパンにふくらんだ！
すぐにしゅうかくしよう。

豆が今にもとびだしそうだね。

見てみよう
さやを近くで見てみよう。
どんなようすかな。

さわってみよう
さやの上から、豆をさわってみよう。
どんな手ざわりかな。

高さ 40〜45cm くらい

しゅうかくのポイント

エダマメは、豆のふくらんださやをひとつずつしゅうかくしたり、かぶごと引きぬいたりして、しゅうかくするんだ。

さやをひとつずつしゅうかくする

すぐに食べたい時は、豆がふくらんださやのはしを、はさみで切って、しゅうかくしよう。

かぶごとしゅうかく

さやが、ほとんどふくらんでいたら、かぶごと引きぬこう。

もっと知りたい えだについているから、エダマメ?

しゅうかくすると味がおちやすいエダマメは、えだから切りはなさないほうが、おいしさが長もちするよ。むかしはえだについたまま売っていたから、エダマメとよばれるようになったといわれているんだ。しゅうかくしたら、しんせんなうちにはやく食べよう。

しゅうかくしたら、すぐにおゆをわかして、ゆでよう!

※火をつかう時は、おうちの人に見てもらおう。

さやの中はどうなっているのかな

さやをひらいて、中を見てみるよ。きれいに豆がならんでいるね。

さやの中は、こんなふうになっているんだね！

がく
さやの先に、がくがのこっていることがあるよ。花のさいたところから、さやがのびてきたことがわかるね。

外がわのかわ
ぶあつくて、こまかいけがはえている。元は1まいのはっぱだったものが、形をかえてさやになるんだ。

内がわのかわ
うすくて白いかわだよ。中に入っている豆をつつんでいるよ。

豆
豆はうすいかわでつつまれているよ。へそのところでさやとつながっていて、えいようをもらうよ。

エダマメを食べた時に、うすいかわが口にのこることがあるよね。

さやをよこに切ると…… 　　豆をわってみると……

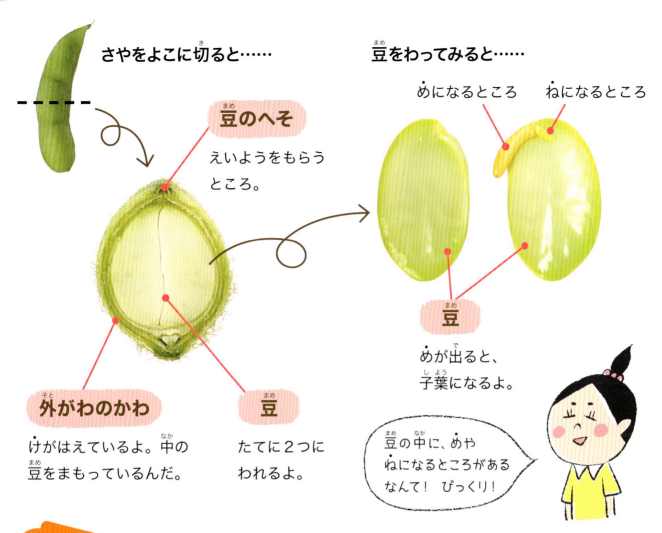

豆のへそ
えいようをもらうところ。

めになるところ　　**ねになるところ**

豆

めが出ると、子葉になるよ。

外がわのかわ
けがはえているよ。中の豆をまもっているんだ。

豆
たてに2つにわれるよ。

豆の中に、めやねになるところがあるなんて！　びっくり！

 エダマメのいろいろなすがた

じつは、エダマメには、べつのすがたがある。ダイズやモヤシだよ。エダマメをしゅうかくせずにおいておくとダイズに、ダイズを水につけてくらいところにおいておくとモヤシになるんだ。どれも、とてもみじかなやさいだね。

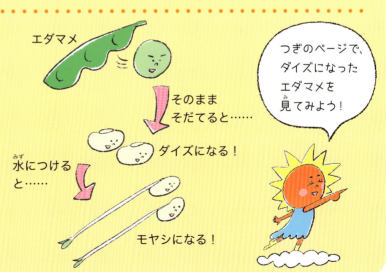

エダマメ
そのままそだてると……
ダイズになる！
水につけると……
モヤシになる！

つぎのページで、ダイズになったエダマメを見てみよう！

さいばいしよう 7

8週目 エダマメがかれると……

エダマメをしゅうかくしないで、そのままにしておいたら、かれてしまったよ。豆はどうなったのかな。

見てみよう
みどり色だったさやの色はどうなったかな。

さわってみよう
豆の形はのこっているみたい。さわってみると、どうなっているかな。

高さ40cmくらい

さらにかんさつ！ かれたさやの中

かれたさやをとって、ひらいてみたよ。すると、中からかたい豆が出てきた。これがダイズだよ。

からからにかわいた豆は、かたくてうすい茶色だね。

やってみよう ダイズからエダマメのなえをそだててみよう

ダイズを土にうえてそだてると、めが出てエダマメのなえになるよ。つぎの春にためしてみよう。

● よういするもの
ポット　土　スコップ　ネット

1 ポットに土を入れる

ふちから5cmの高さまで土を入れる。

2 ゆびであなをあける

土に人さし指を入れて、2cmくらいの深さのあなをあける。

3 ダイズを入れて土をかぶせる

あなにダイズを1つぶ入れて、土をかぶせる。

4 ネットをかぶせる

鳥に食べられないようにネットをかぶせ、日なたで水やりをしてそだてる。

エダマメさいばいほうこく会をしよう

エダマメのなえをうえてから、しゅうかくするまでの間、どんなことがあったかな。グループで話し合ってまとめて、クラスで発表するよ。

ほうこく会のじゅんび

1 グループで話し合う

4人くらいの班であつまって、かんさつカードを見ながら思ったことや、さいばいをしてわかったこと、むずかしかったことを話し合おう。

話し合う時のちゅうい
- 話し合いをすすめる司会をきめてもいい。
- じゆうちょうやえんぴつをよういして、メモをとる。
- かんさつカードを見直して、いけんをまとめておく。

かんさつカードを見て一言言ってみよう

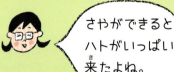
さやができるとハトがいっぱい来たよね。

スズメもいたね！

花はこゆびのつめの大きさくらいだったね！

うん！とっても小さかった！

わかったことや、むずかしかったことを言ってみよう

エダマメとダイズは、同じしょくぶつだってわかった。

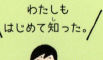
わたしもはじめて知った。

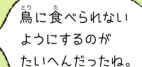
鳥に食べられないようにするのがたいへんだったね。

ネットをはったこと、つたえたいな。

2 メモを書く

グループで、なにをどんな順番で話すか、じゆうちょうにメモをとる。

メモがあれば、本番もきんちょうしないね！

山井さん
ぼくたちのグループでは、わかったことが2つと、むずかしかったことが1つありました。

大田さん
わかったことの1つ目は、エダマメの花はとても小さいということです。こゆびのつめくらいの大きさでした。

田中くん
2つ目は、エダマメは、かれるとダイズになるということです。かれたさやの中にダイズがあって、おどろきました。

黒木くん
さいごにむずかしかったことです。スズメやハトに食べられないようにするのがたいへんでした。そだてるときはネットをはるといいと思います。

山井さん
これで、ぼくたちのグループの発表をおわります。

みんな
ありがとうございました。

3 れんしゅうをする

本番にむけて、グループぜんいんでれんしゅうしよう。かんさつカードを見せるなど、くふうできそうなところがあったら、メンバーにつたえてみよう。

こゆびのつめくらいの……

もうすぐぼくの番！

エダマメの花をかいたかんさつカードを見せたらどうかな。

わかった！

ほうこく会本番

本番ではこんなことに気をつけようね。

発表する順番で立って話す

話す順番で、よこ1れつにならぼう。となりの人が話しおわるのを見てから、自分の番に話しはじめることができるよ。

聞き手のほうを見る

話す時は、じゆうちょうにかいておいたメモばかりを見すぎないで、たまには聞き手の目を見てみるといいよ。

聞く人は……

目を見て、うなずきながら聞く

話し手を見たり、うなずいたりすることは、「きみの話を聞いてるよ！」というサインなんだ。

しつもんをしてみる

話を聞いて、もっと知りたいなと思ったり、ぎもんにかんじたことについて、手をあげて、聞いてみよう。

花の色は、どんな色でしたか？

ほかのグループの発表も見てみよう！

 これから、エダマメについてわかったこととむずかしかったことをしょうかいします。

 まず、わかったことです。エダマメは、虫や鳥の大こうぶつだとわかりました。おいはらうのがとてもたいへんでした。

 つぎにむずかしかったことです。まい日かかさずに、水やりをするのが、思っていたよりもたいへんでした。

うんうん、農家の人のたいへんさがよくわかったよね！

 エダマメをそだててみて、農家の人たちは、とてもたいへんな思いをして、エダマメやいろいろなやさいをそだてているのだと思いました。

 これで、わたしたちの発表をおわります。

 これからぼくたちのグループの発表をはじめます。わかったことが３つあるので、聞いてください。

 まず１つめです。エダマメは、水やりをしすぎないことが大切ということです。水をやる時は土をさわり、かわいていたら、水をやりました。

水やりの時に、土をさわってたしかめるのは、大切だよね。

 ２つめは、エダマメは風や重さでたおれやすいということです。支柱を立てれば、たおれずにそだてられます。

 さいごに、肥料がなくてもよくそだつということです。エダマメのねには、根粒菌という菌がいて、えいようをくれると本にかいてありました。

 エダマメについてわかったことを３つしょうかいしました。これで、ぼくたちの発表をおわります。

来年そだてる１年生にも教えてあげたいね。

エダマメのまめちしき

エダマメはどこからきたの？

エダマメは中国出身だといわれているよ。日本では、縄文時代の遺跡からダイズが見つかっている。エダマメとして食べはじめたのがいつからなのか、よくわかっていないけれど、今から1000年いじょう前にはエダマメが食べられていたと考えられているよ。

中にダイズが入った土器も見つかっているよ。

江戸時代にも人気だったエダマメ

江戸時代には、夏になるとゆでたエダマメを売り歩く「エダマメ売り」がいたんだ。江戸ではえだごとゆでたものを、京都や大阪ではゆでたさやを、歩いて売っていたんだって。昔からエダマメは人気のある食べものだったんだね。

海外でおきている EDAMAMEブーム

エダマメは、海外でも大人気。2000年ごろにアメリカなどにつたわり、今ではすっかり日本の食べものとして知られているよ。エダマメがほかの国ではなんてよばれているか、知っているかな。なんと、「エダマメ」でつたわるんだって。

さやの中の豆はなんつぶ？

さやのなかの豆のつぶが、1つのものもあれば3つのものもあるね。お店で売るものは、見た目のよさなどから3つぶまでのさやをえらぶことが多いよ。じつは、豆が4つぶもさやに入るものが、ごくたまにあるよ。君がそだてたエダマメはなんつぶだったかな？

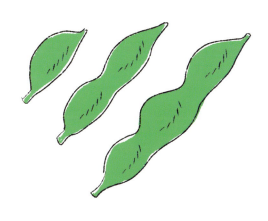

エダマメからダイズに、ダイズから○○に!?

エダマメがダイズに、ダイズがモヤシになること（→23ページ）は、もう知っているね。ダイズは、にたり、むしたり、手をくわえることで、さらにいろいろなすがたにかわるんだ。とうふ、みそ、しょうゆ、なっとうは、すべて、ダイズからできているよ。ぼくたちの食たくにかかせないものばかりだね。

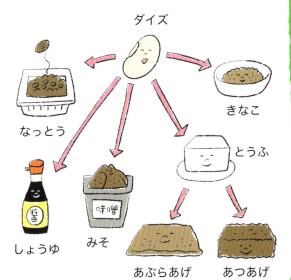

さいばい・かんさつ おたすけ資料

かんさつカード のかき方をマスターしよう

エダマメをそだてている間、かんさつしたことをわすれないように、気がついたことや思ったことを、しっかりかきとめよう。

1 まずはじっくりかんさつ

目で見るだけではなく、はな、耳、手もつかってかんさつしよう。ぜんたいを見わたしたり、近づいて細かいところまで見てみたりしてもいいね。かんじたこと、気づいたことは、すぐにメモをとろう。

2 かんさつイラストをかこう

かんさつしていて、きみがちゅうもくしたことはなにかな。たとえば、さやのようすをつたえたい時は、さやを大きくかいたほうがいいね。つたえたいことによって、どんなイラストにするか考えてみよう。

3 かんさつ文をかこう

見たりさわったりしてわかったことなど、かんさつしたぶぶんのようすをくわしくかこう。自分のかんそうや考えをつけたすといいよ。

みんなのかんさつカードを見てみよう！

32

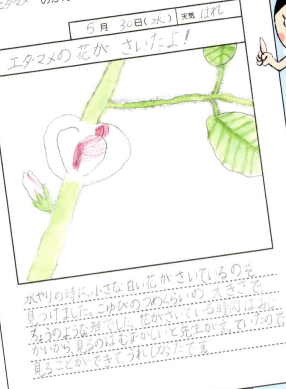

さいばい・かんさつ おたすけ資料

エダマメさいばいトラブル
虫や鳥に食べられた！

エダマメのはっぱやさやに、あながあいている……！
それはきっと、虫や鳥が食べたあとだよ。エダマメにやってくる虫や鳥を見てみよう。

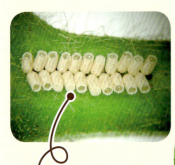

はっぱのうらやくきに、ふしぎな形の白いものがついている

はんにんは……
カメムシ!!

たまごをうんでいるところ。

カメムシはエダマメが大すき！はっぱやくきから、しるをすって、エダマメを弱らせてしまうよ。たまごをうみつけて、どんどんふえる前においはらおう。

さやが黒くなっていたり、あながあいていたりする

はんにんは……
サヤムシガのよう虫!!

さやの中に入りこんで豆を食べるよ。しゅうかくした時に、さやにあながあいていたら、食べないようにしよう。はっぱを食べて、ちぢれさせることもあるよ。

はっぱが茶色くなって丸まる

はんにんは……チャノホコリダニ!!

「こうやってゆびにまきつけるよ。」

目をこらしても見えないほど、小さな虫だよ。はっぱのうらに水をかけたり、ガムテープをゆびにまいて、はりつけてつかまえたりしよう。

はっぱのひょうめんのかわが、めくれあがって白くなっている

はんにんは……クロハモグリバエのよう虫!!

ひょうめんの、うすいかわにもぐりこんで、はっぱを食べるよ。成長したハエは、はっぱにたまごをうみつけるんだ。写真のじょうたいのはっぱを見つけたら、ちぎってすててしまおう。

豆をねらうスズメやハト!!

「豆からそだてるばあいは、鳥にちゅうい!」

せっかくうえたのに、しゅうかくする前に食べられた！ それはきっと、ハトやスズメが食べてしまったんだ。さやができてからしゅうかくするまではネット（→17ページ）をかけよう。

さいばい・かんさつ おたすけ資料

エダマメ さいばいトラブル

病気になった・うまくそだたない

はっぱやさやが、黒くなったり、へんなもようができたり……。それはもしかしたら、エダマメがなにかの病気になっているからかもしれないよ。

げんいんは……べと病!!

- はっぱのうらがわがはいいろになっている
- はっぱに水玉もようができる

梅雨の時、じめじめしている日がつづくとなりやすいんだ。風通しがよくて、日当たりもいいところにプランターをおくようにすれば、かかりにくいよ。

- はっぱのひょうめんがでこぼこになる
- はっぱがまだらもようになって、ちぢれる

げんいんは……モザイク病!!

アブラムシが病気のもとをはこんでくるよ。アブラムシを食べてくれる、テントウムシをつかまえてきて、プランターにはなしてみよう。病気が広がるのをふせげるかもしれないね。

さやが茶色になる

中の豆がやわらかくなったり、くさったりする

げんいんは……
赤かび病!!

エダマメにかびがはえる病気だよ。風通しのよいところにおいて、かからないようによぼうしよう。かかってしまったら、その豆は食べられないから、ちゅういしよう。

さやが黒くなる

はっぱの一部がかれる

げんいんは……
炭疽病!!

病気にかかったぶぶんは、かれてしまうよ。これも、じめじめしたきせつにおこりやすい病気だ。土から菌がつくこともあるから、水をやるときは、ねもとにそっとかけよう。

さやが黒くなる

中の豆はきれい

げんいんは……
さやしみ病!!

これも、アブラムシが病気のもとをはこんでくることが多い。かかってしまったら、はっぱやさやを切りとってすてるようにしよう。さやが黒くても、中の豆はきれいなら食べられるよ。

さいばい・かんさつ おたすけ資料

エダマメさいばい Q&A

エダマメをそだてている時に、みんながぎもんに思うことや、もっとじょうずにせわをするための方法をくわしくしょうかいするよ。

Q エダマメは、どれくらい水をあげればいいの？

A 朝10時ごろまでに土ぜんたいがしめるくらいの水をやり、夕方に土をさわってみて、かわいていたら、さらに水をやろう。花がさいたあとに土がかわいていると、さやがふくらみにくいから、とくに気をつけよう。でも、水やりをしすぎると、土の中のねがくさってしまうこともあるから、気をつけてね。

やりすぎにちゅうい！

Q エダマメのプランターは、どこにおくといいの？

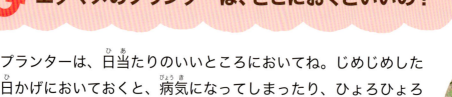

A プランターは、日当たりのいいところにおいてね。じめじめした日かげにおいておくと、病気になってしまったり、ひょろひょろと細くのびたりして、花やさやがつきにくくなってしまうんだ。また、大雨や台風が来た時にすぐにいどうできるように、やねが近くにあるところに、プランターをおいておこう。

日当たりのいいところに！

Q エダマメには、肥料をやらなくてもいいの？

A ほかのやさいでは、花がさいたり、みができたりしたころに、肥料をやって、えいようをあたえるよ。でも、エダマメには根粒菌（→19ページ）がいて「ちっそ」というえいようをつくってくれるので、あとから肥料をやらなくてもだいじょうぶ。さやがふくらまないなど気になった時は、「ちっそ」が少ない肥料をやろう。

根粒菌がいればだいじょうぶ！

さくいん

※見開きの左右両方のページに同じことばが出てくる場合は、左のページばんごうを入れています。

エダマメをそだてていて、気になったものやことを、さくいんからひいてみよう。

あ
- 赤かび病 ……………………… 37
- あつあげ ……………………… 31
- あぶらあげ …………………… 31
- アブラムシ ………………… 9、36
- うぶげ ………………………… 5
- えいよう ………… 6、19、22、29、38
- えだ ………………………… 4、21、30
- おしべ ………………………… 15

か
- がく ………………………… 14、22
- 風通し ………………………… 36
- かぶ ………………………… 21
- 花ふん ………………………… 15
- カメムシ ……………………… 34
- かんさつカード …………… 7、9、26、32
- きなこ ………………………… 31
- くき ……………………… 5、8、10、12、34
- クロハモグリバエ …………… 35
- 根粒菌 …………………… 19、29、38

さ
- さや …… 4、13、15、16、18、20、22、24、26、30、32、34、36、38
- さやしみ病 …………………… 37
- サヤムシガのよう虫 ………… 34
- 支柱 ……………………… 5、6、12、17、29
- しゅうかく ………………… 20、24、26、34
- 子葉 …………………………… 23
- しょうゆ ……………………… 31
- スコップ …………………… 6、10、25
- スズメ ……………………… 27、35

た
- ダイズ ……………………… 23、25、26、30
- 炭疽病 ………………………… 37
- ちっそ ……………………… 19、38
- チャノホコリダニ …………… 35
- 土 ……………………… 6、10、25、29、37、38
- 土よせ ………………………… 13

つ
- つぼみ ………………………… 14
- テントウムシ ………………… 36
- とうふ ………………………… 31
- トマト ………………………… 15
- 鳥 …………………… 9、16、25、26、29、34

な
- なえ ………………… 5、6、8、10、12、25
- なっとう ……………………… 31
- ね ……………………… 10、13、19、23、29、38
- ネット ……………………… 17、25、26、35

は
- ばいよう土 ………………… 6、10
- はさみ ………………………… 21
- ハチ ……………………………… 9
- はっぱ …………… 8、11、12、19、22、34、36
- ハト ………………………… 26、35
- 花 …………………… 14、16、26、28、33、38
- 花びら ……………………… 14、16
- はりがね ……………………… 6、13
- 日当たり …………………… 36、38
- ひも …………………………… 17
- 病気 ………………………… 36、38
- 肥料 ………………………… 6、29、38
- ふよう土 …………………… 6、10
- プランター ………… 5、6、10、13、36、38
- ペットボトルじょうろ ……… 6
- べと病 ………………………… 36
- ポット ……………………… 10、25

ま
- 豆 ……………… 4、15、18、20、22、24、31、34、37
- 水 ……………………… 11、25、29、35、37、38
- みそ …………………………… 31
- 虫 ……………………… 7、15、16、29、34
- め ……………………………… 6、23、25
- めしべ ………………………… 15
- モザイク病 …………………… 36
- モヤシ ………………………… 23

39

青山由紀（あおやま　ゆき）

筑波大学附属小学校教諭。筑波大学非常勤講師。光村図書・小学校「国語」教科書、「書写」教科書編集委員。日本国語教育学会常任理事。主な著書に、『話すことが好きになる子どもを育てる』（東洋館出版社）、『こくごの図鑑』（小学館）、『おぼえる！　学べる！　たのしい四字熟語』（高橋書店）、『楽しみながら国語力アップ！　マンガ　漢字・熟語の使い分け』（ナツメ社）などがある。

鷲見辰美（すみ　たつみ）

筑波大学附属小学校教諭。日本初等理科教育研究会副理事長、文部科学省教育映像等の審査学識経験者委員。学校図書・小学校「理科」教科書編集委員。日本テレビ「世界一受けたい授業」に出演。朝日新聞2010年4月「花まる先生」に掲載。主な著書に『小学校理科授業ネタ事典』（明治図書）、『筑波発「わかった！」をめざす理科授業』（東洋館出版社）などがある。

撮影●上林徳寛
絵●山中正大
装丁・本文デザイン●周　玉慧
校正●株式会社　夢の本棚社
編集●株式会社　童夢
協力●筑波大学附属小学校2部1年、2部2年のみなさん
写真提供●秋田県／Oisix／京丹波町観光協会／ピクスタ／ＨＰ埼玉の農作物病害虫写真集

学校でそだててかんさつ　夏やさい
エダマメをつくろう！

2018年4月初版　2023年10月第3刷

監修　　青山由紀／鷲見辰美
発行者　岡本光晴
発行所　株式会社あかね書房
〒101-0065 東京都千代田区西神田3-2-1
電話 03-3263-0641（営業）　03-3263-0644（編集）
https://www.akaneshobo.co.jp
印刷所　吉原印刷株式会社
製本所　株式会社難波製本

ISBN978-4-251-09228-1 C8361
©DOMU 2018 Printed in Japan
落丁本・乱丁本はおとりかえいたします。
定価はカバーに表示してあります。
すべての記事の無断転載およびインターネットでの無断使用を禁じます。

NDC620
監修　青山由紀（あおやま　ゆき）／
　　　鷲見辰美（すみ　たつみ）
学校で　そだてて　かんさつ　夏やさい
エダマメをつくろう！
あかね書房　2018　40P　27㎝×22㎝

筑波大学附属小学校教諭
青山由紀／鷲見辰美 監修
山中正大 絵

全3巻

🍅 ミニトマトをつくろう！

丸くて赤い、ミニトマトの育て方を紹介。ミニトマトの観察カードをもとにした、観察絵本づくりについても解説する1冊。

🥒 キュウリをつくろう！

ぐんぐんのびる、つる性植物キュウリの育て方を紹介。キュウリ栽培について説明する新聞づくりについても解説する1冊。

🫛 エダマメをつくろう！

緑の豆がおいしいエダマメの育て方を紹介。エダマメ栽培をテーマとして、班で話し合う方法についても解説する1冊。